Richard

et le secret des livres magiques MC

SÉRIE CLASSIQUE

LE MAGICIEN D'OZ

Adapté du roman original de L. Frank Baum

SÉRIE CLASSIQUE

Richard

et le secret des livres magiques MC

LE MAGICIEN D'OZ

Traduit en français par : Hélène Paquet

Adapté par :
Jane Hawtin

Illustré par :
Tom Taylor

*Richard et le secret des livres magiques*MC Série Classique est inspiré du film *Richard et le secret des livres magiques*MC, une production de la 20th Century Fox en collaboration avec la maison Turner Pictures. MC & © 1994 Twentieth Century Fox Film Corporation et Turner Pictures, Inc. Tous droits réservés. Adaptation de « Le Magicien d'Oz » Texte et illustrations, tous droits réservés © 1994 Tribute Publishing Inc. Publié au Canada par : Tribute Publishing Inc., Don Mills, Ontario.
Imprimé au Canada par Imprimeries Québécor.

ISBN 1-896298-11-7

Richard MC
et le secret des livres magiques

présente

LE MAGICIEN D'OZ

Adapté du roman original *Le Merveilleux magicien d'Oz* **de L. Frank Baum**

Dorothée vivait aux États-Unis, au cœur des grandes prairies du Kansas, avec sa tante Émilie et son oncle Henri, qui était fermier. Ils habitaient tous les trois dans une petite maison d'une seule pièce : quatre murs, un toit et un plancher. Le lit de l'oncle Henri et de tante Émilie était dans un coin de la maison, et celui de Dorothée dans l'autre.

Sous la maison, l'oncle Henri avait creusé un trou que l'on appelait « la cave aux cyclones ». Cette cave était destinée à servir de refuge en cas de grands tourbillons de vent, comme cela se produit souvent dans cette région des États-Unis.

Dorothée vivait avec eux depuis qu'elle était orpheline. Dès le jour de son arrivée, tante Émilie avait été enchantée par le rire de la jeune fille. Il lui arrivait souvent de la regarder et de se demander ce qu'elle pouvait bien trouver de si drôle dans cette maison. Oncle Henri, lui, ne souriait jamais. Il travaillait dur du matin au soir. Au fil des ans, il était devenu vieux et monotone comme sa ferme et les terres qui l'entouraient.

Toto, le petit chien gris de Doro- thée, arrivait toujours à la faire rire. Il avait de longs poils brillants et soyeux et de petits yeux noirs très intelligents. Dorothée et Toto jouaient ensemble toute la journée et elle l'aimait beaucoup.

Aujourd'hui, cependant, ils ne jouaient pas. Ils étaient tous deux assis sur le perron de la petite maison et oncle Henri regardait le ciel avec un air inquiet. Soudain, de grosses rafales de vent se mirent à souffler. Un vent menaçant qui venait du sud...

- « Il va y avoir un cyclone, dit l'oncle Henri. Il faut que je surveille le bétail. » Il se leva et se mit à courir vers la grange. Tante Émilie laissa tomber son tricot et courut vers la porte de la maison.

- « Vite, Dorothée! Viens te cacher dans la cave ! »

Toto s'échappa des bras de Dorothée et courut se cacher sous un lit. Dorothée rattrapa son chien, le prit dans ses bras et partit rejoindre sa tante dans la cave. Tout à coup, une spectaculaire rafale s'abattit et secoua la maison. Dorothée tomba sur le plancher.

C'est à ce moment qu'une chose tout à fait étrange se produisit. La maison se mit à tournoyer et s'éleva lentement vers le ciel. Dorothée se sentit un peu comme si elle partait faire un tour en ballon. La maison s'éleva encore et encore, jusqu'à ce qu'elle arrive au sommet du cyclone. Et là, Dorothée réalisa que la maison avait été emportée des kilomètres plus loin.

Au début, Dorothée eut peur de se blesser. Plusieurs heures s'écoulèrent, la maison volait toujours dans les airs et la petite fille constatait qu'il n'y avait pas de danger. En s'agrippant aux murs, elle réussit à rejoindre son lit. Toto se coucha près d'elle et ils s'endormirent tous les deux.

LE GRAND CONSEIL DES RIKIKIS

Dorothée se réveilla en sursaut. Qu'était-il donc arrivé ? La maison ne bougeait plus ! Toto toucha le visage de Dorothée avec le bout de son museau et gémit comme pour lui dire bonjour.

Dorothée poussa un cri de surprise et d'émerveillement en voyant ce qui l'attendait dehors. La maison avait été transportée au cœur d'une clairière remplie de fleurs de toutes les couleurs. Des oiseaux au plumage d'une grande beauté chantaient dans les arbres et les buissons.

Pendant qu'elle admirait le paysage, elle aperçut un groupe de gens fort étranges venir vers elle. Ils semblaient être de la même taille que Dorothée, mais ils étaient beaucoup plus vieux.

Il y avait trois hommes et une femme, tous habillés bizarrement. Ils portaient de petits chapeaux pointus, dont le rebord était garni de grelots qui tintaient doucement lorsqu'ils bougeaient. La femme portait une robe piquée de petites étoiles qui brillaient sous le soleil. Les hommes étaient aussi vieux que l'oncle Henri et la femme était encore plus vieille qu'eux. Ses cheveux étaient presque tous blancs et elle marchait à petits pas saccadés. Elle s'approcha de Dorothée et lui fit la révérence.

- « Bienvenue, très noble sorcière, au pays des Rikikis. Nous vous sommes très reconnaissants d'avoir tué la méchante sorcière de l'Est et d'avoir libéré notre peuple.

- Vous êtes très gentille, mais je n'ai tué personne, répondit Dorothée.

- C'est votre maison qui l'a tuée,

rétorqua la petite vieille en riant. Regardez ! »

Dorothée tourna la tête et poussa un cri de frayeur. Deux grands pieds dépassaient de l'un des coins de la maison.

- « Voilà tout ce qui reste de la méchante sorcière de l'Est. Les Rikikis ont été ses esclaves pendant de nombreuses années. Ils sont maintenant libres, et ils vous en sont très reconnaissants.

- Êtes-vous une Rikiki ?, demanda Dorothée.

- Non. Je suis la sorcière du Nord. Mais je suis une bonne sorcière. »

La petite femme se mit à rire et les pieds de la sorcière de l'Est disparurent soudainement. Il ne restait plus que deux souliers magiques au pied de la maison.

- « Elle était si vieille qu'elle s'est desséchée très rapidement », expliqua la bonne sorcière. Elle prit les chaussures, les secoua pour en enlever la poussière et les remit à Dorothée. « Ces chaussures ont un pouvoir, reprit-elle, mais nous ignorons au juste lequel.

- Je dois retourner chez moi, dit Dorothée. Pouvez-vous m'indiquer le chemin ?

- Le pays d'Oz est entouré de grands déserts, lui dit la bonne sorcière. Vous devez aller à la Cité des Émeraudes, là où règne le grand magicien d'Oz, qui est encore plus puissant que toutes les sorcières réunies. Il pourra peut-être vous aider.

- Mais comment faire pour me rendre là-bas ?, demanda Dorothée.

- La route qui mène à la Cité des Émeraudes est pavée de briques jaunes, dit la sorcière, tu ne pourras pas la manquer. Elle traverse un pays à la fois merveilleux et magique, un pays parfois noir et terrible. Mes pouvoirs pourront te protéger. Personne n'osera s'attaquer à quelqu'un qui a été embrassé par la sorcière du Nord. »

Elle s'approcha alors de Dorothée et l'embrassa délicatement. Son baiser lui laissa une marque ronde et brillante sur le front. Puis elle pivota trois fois sur elle-même et disparut.

DOROTHÉE VIENT AU SECOURS DE L'ÉPOUVANTAIL

Une fois seule, Dorothée se prépara pour son départ vers la Cité des Émeraudes. Elle enfila sa plus belle robe et les souliers magiques de la sorcière de l'Est, lesquels avaient mystérieusement rétréci et lui faisaient parfaitement. Dorothée ramassa un panier rempli de pain et se tourna vers son chien.

- « Allons-y, Toto, nous partons vers la Cité des Émeraudes pour voir le Magicien d'Oz afin qu'il nous aide à rentrer chez nous. »

Elle n'eut aucune difficulté à trouver la route pavée de briques jaunes. Elle partit de pied ferme vers la Cité des Émeraudes, ses souliers magiques claquant gaiement sur les pavés.

Le soir venu, Dorothée était bien fatiguée. Elle arriva devant une maison plus grosse que les autres. Des hommes et des femmes dansaient sur le gazon. Il y avait beaucoup de gens qui chantaient et riaient. Une grande table était remplie de fruits, de noix, de gâteaux, de tartes et d'autres friandises.

Dorothée fut accueillie par un Rikiki qui se nommait Boq. Il lui dit, en regardant ses souliers magiques :

- « Vous devez être une sorcière extraordinaire.

- Pourquoi donc ?, demanda Dorothée.

- Parce que vous portez des souliers magiques et que vous avez tué la méchante sorcière. De plus, votre robe est blanche. Seules les sorcières et les magiciennes peuvent porter du blanc.

- Mais ma robe est blanche et bleue, précisa Dorothée.

- C'est très gentil à vous de porter cette robe, poursuivit Boq. Le bleu est la couleur des Rikikis et le blanc celle des sorcières. Nous savons que vous êtes une gentille sorcière. »

Dorothée eut beau lui expliquer qu'elle n'était pas une sorcière mais bien une petite fille ordinaire, Boq ne voulut rien entendre. Finalement, elle perdit l'envie de discuter avec lui. Boq la conduisit dans une petite chambre, où elle se glissa dans un lit et dormit jusqu'au lendemain.

À son réveil, elle demanda à Boq à quelle distance se trouvait la Cité des Émeraudes.

- « Je ne sais pas, répondit-il, car je n'y suis jamais allé. Je sais toutefois que c'est très loin et qu'il te faudra marcher plusieurs jours. Notre pays est très agréable, mais pour arriver là-bas, tu devras traverser plusieurs endroits dangereux. »

Cet avertissement inquiéta un peu Dorothée, mais elle était convaincue que le Magicien d'Oz l'aiderait à rentrer à la maison et cela l'encourageait.

Elle partit donc d'un pas léger avec son chien Toto. Après avoir marché des kilomètres, elle décida de se reposer et s'appuya sur une clôture. Derrière la clôture se trouvait un champ de maïs et, au milieu de ce champ, on avait

planté un épouvantail pour éloigner les oiseaux.

Dorothée regardait pensivement l'épouvantail. À sa grande surprise, celui-ci lui fit un clin d'œil ! Elle croyait avoir rêvé, mais l'épouvantail pencha la tête amicalement et lui dit : « Bonjour, d'une voix légèrement enrouée.

- Vous avez parlé ?, demanda Dorothée surprise.

- Mais oui, reprit l'épouvantail. Comment allez-vous ?

- Je vais bien, merci. Et vous ?

- Je ne me sens pas très bien. Je m'ennuie. Rien n'est plus monotone que de passer la journée ici à effrayer les oiseaux.

- Pourquoi ne pas partir ?, demanda Dorothée.

- Je ne peux pas bouger, répondit l'épouvantail, car je suis attaché à une perche. Dites donc, pourriez-vous me libérer ? »

Dorothée descendit de sa clotûre et s'empressa de défaire ses liens...

- « Merci, dit-il. Qui êtes-vous et où allez-vous comme ça ?

- Je m'appelle Dorothée et je m'en vais à la Cité des Émeraudes pour demander au Magicien d'Oz de m'aider à retourner au Kansas.

- Où se trouve la Cité des Émeraudes ? demanda-t-il. Et qui est ce magicien ?

- Vous voulez dire que vous ne le savez pas ?, répondit-elle.

- Non, pas du tout. Je ne sais rien. Je suis bourré de paille et je n'ai pas de cerveau, lui dit-il tristement. Pensez-vous que si je vais avec vous à la Cité des Émeraudes, le Magicien d'Oz pourrait me donner un cerveau ?

- Je l'ignore, mais vous pouvez venir avec moi si vous voulez ! »

Ils se mirent donc à marcher ensemble sur la route en briques jaunes qui menait à la Cité des Émeraudes. Toto reniflait l'épouvantail et grognait.

- « Ce n'est rien, dit Dorothée en se retournant vers son nouvel ami. Ne vous en faites pas, il ne mord pas.

- Je n'ai pas peur, répondit l'épouvantail. Il ne peut pas faire de mal à de la paille. Mais je vais vous confier un secret : il n'y a qu'une seule chose au monde qui me fasse peur : les allumettes ! »

Ils marchèrent jusqu'au soir et s'installèrent pour la nuit dans un chalet au bord de la route.

DOROTHÉE VIENT AU SECOURS DE L'HOMME EN FER-BLANC

Le lendemain, lorsque Dorothée se réveilla, le soleil brillait et Toto s'amusait à chasser les oiseaux et les écureuils. Ils quittèrent le chalet et marchèrent jusqu'à une petite source, où Dorothée se rafraîchit et se baigna. Peu de temps après, elle prit du pain dans son panier et en offrit à l'épouvantail.

- « Je n'ai pas faim, dit-il, et j'ai bien de la chance qu'il en soit ainsi. Ma bouche est dessinée au pinceau. Si je la coupais pour pouvoir manger, la paille que contient ma tête en sortirait et je changerais complètement d'allure. »

Dorothée partagea donc son pain avec Toto. Elle ramassait les restes de son repas pour les mettre dans son panier lorsqu'elle entendit un grognement insistant qui venait de la forêt.

- « Qu'est-ce que c'est ?, chuchota-t-elle à l'épouvantail.

- Je n'en ai aucune idée, répondit-il. Mais nous pouvons aller voir. »

Ils entrèrent dans la forêt et à quelques mètres d'eux, ils aperçurent un homme tout en fer-blanc qui tenait une hache dans sa main. Il ne bougeait pas, un peu comme si quelque chose l'en empêchait.

- « Avez-vous grogné tout à l'heure ?, demanda Dorothée.

- Oui, répondit l'homme. Je grogne ainsi depuis un an, mais personne ne m'entend et personne ne vient m'aider. Je ne peux pas bouger parce que je suis tout rouillé.

- Que puis-je faire pour vous ?, lui demanda Dorothée.

- Je vous en prie, allez vite chercher la burette d'huile qui se trouve dans mon chalet pour huiler mes jointures. »

Dorothée fit ce qu'il demanda. Elle mit quelques gouttes d'huile sur son cou et ses bras. L'homme de fer-blanc put enfin agiter les bras.

- « Comme ça fait du bien ! Je tiens cette hache à bout de bras depuis un an, soit le jour où j'ai commencé à rouiller. Si vous aviez la bonté de mettre un peu d'huile sur mes genoux, je serais tout à fait rétabli. J'aurais pu rester ici pour toujours si vous n'étiez pas venus à mon secours, dit l'homme en les remerciant. Comment êtes-vous arrivés ici ?

- Nous allons à la Cité des Émeraudes pour rencontrer le Magicien d'Oz, dit Dorothée.

- Pourquoi voulez-vous le voir ?, questionna l'homme en fer-blanc.

- Je voudrais qu'il me ramène au Kansas et l'épouvantail aimerait qu'il lui donne un cerveau », répondit Dorothée.

L'homme en fer-blanc eut l'air pensif.

- « Croyez-vous qu'il pourrait me donner un cœur ?

- Je ne sais pas... Ça ne doit sûrement pas être plus difficile que de donner un cerveau à un épouvantail, répliqua Dorothée.

- Un cerveau ça ne rend pas

nécessairement heureux, dit l'homme en fer-blanc, mais un cœur, oui ! Le bonheur, c'est la plus belle chose du monde. »

L'homme en fer-blanc mit sa hache sur son épaule, Dorothée plaça la burette d'huile dans son panier et ils sortirent de la forêt pour aller rejoindre la route pavée de briques jaunes.

Pendant qu'ils marchaient, l'homme en fer-blanc raconta à ses nouveaux amis son triste destin. Il avait eu le cœur brisé.

- « Un jour, je suis tombé amoureux d'une jolie fille Rikiki. Elle vivait avec une vieille femme égoïste qui ne voulait pas que j'épouse cette jolie fille. La vieille femme avait promis deux moutons et une vache à la sorcière de l'Est si elle arrivait à empêcher notre mariage.

La sorcière m'a donc jeté un sort. J'ai perdu mon cœur et tout mon corps fut recouvert de fer-blanc !

Quand on n'a pas de cœur, on ne peut pas aimer, poursuivit l'homme en fer-blanc. C'est pourquoi je vais demander au Magicien d'Oz de m'en donner un. Et s'il m'en donne un, je retournerai voir mon amie et je l'épouserai. »

LE LION POLTRON

La forêt qui longeait la route devenait de plus en plus dense et de plus en plus sombre. On entendait un rugissement sourd, qui semblait être celui d'un animal sauvage caché dans les bois. Le cœur de Dorothée battait à tout rompre et Toto était trop effrayé pour aboyer. Soudain, le bruit se rapprocha et un gros lion d'allure féroce apparut au beau milieu de la route. D'un seul coup de patte, il renversa l'épouvantail et l'homme en fer-blanc. Toto s'approcha du lion et aboya furieusement. Le lion ouvrit la bouche pour mordre le petit chien. De peur qu'il ne morde le petit chien, Dorothée alla à sa rencontre et, malgré le danger, lui gifla énergiquement le museau.

- « Je te défends bien de mordre Toto, cria Dorothée. Tu devrais avoir honte ! Pourquoi un gros animal comme toi s'en prendrait-il à un si petit chien ?

- Mais je ne l'ai pas mordu, rétorqua le lion.

- Tu as quand même essayé, lui dit Dorothée. Tu n'es qu'un poltron !

- Je sais, répondit le lion en essuyant une grosse larme qui coulait sur sa joue. C'est le drame de ma vie. Le danger me terrorise et fait battre mon cœur à toute vitesse. Si j'avais du courage, je ne serais plus un lion poltron. »

L'épouvantail s'avança.

- « Je m'en vais voir le Magicien

d'Oz pour qu'il me donne un cerveau, parce que ma tête est pleine de paille.

- Moi, je vais lui demander un cœur, dit l'homme en fer-blanc.

- Et moi, je vais lui demander de me ramener au Kansas, dit Dorothée.

- Croyez-vous que le Magicien d'Oz pourrait me donner du courage ?, demanda le lion.

- Aussi facilement qu'il peut me donner un cerveau, dit l'épouvantail.

- Ou me donner un cœur, dit l'homme en fer-blanc.

- Ou me ramener chez moi », ajouta Dorothée.

EN ROUTE VERS LE PAYS D'OZ

Dorothée partit donc avec son chien Toto, le lion, l'épouvantail et l'homme en fer-blanc. Le soleil brillait et ils marchèrent longtemps sur la route de briques jaunes. Puis la route devint de plus en plus difficile à distinguer. Elle était recouverte de gros coquelicots rouges. Leur parfum était si puissant qu'il pouvait vous endormir pour l'éternité...

L'homme en fer-blanc et l'épouvantail n'étaient nullement incommodés par le parfum des fleurs. Mais Dorothée se sentit devenir si fatiguée qu'elle tomba endormie au beau milieu des fleurs.

- « Sauve-toi vite, cours, sinon tu tomberas endormi toi aussi, dit l'épouvantail au lion. L'homme de fer-blanc et moi allons transporter Dorothée, mais toi, tu es beaucoup trop lourd pour que nous puissions te porter dans nos bras. »

Le lion se mit alors à courir aussi vite que possible. L'épou-

vantail et l'homme en fer-blanc prirent Dorothée et Toto dans leurs bras et coururent à sa suite. Mais malheureusement, le parfum des fleurs avait déjà fait son œuvre : ils retrouvèrent, non loin de là, leur ami le lion qui ronflait.

- « On ne peut rien faire pour lui, dit tristement l'homme en fer-blanc. Nous devons le laisser ici, où il dormira pour l'éternité. Peut-être rêvera-t-il un jour qu'il a retrouvé son courage ? »

Ils poursuivirent leur route tristement. L'homme en fer-blanc posa Dorothée au bord d'une rivière, assez loin des coquelicots pour l'empêcher d'en respirer de nouveau le parfum. Ils s'assirent tous les deux près d'elle et attendirent son réveil.

Au même moment, ils entendirent un rugissement furieux et virent un chat sauvage qui chassait une souris. L'homme en fer-blanc saisit sa hache et asséna un coup sec au gros chat. Reconnaissante, la souris s'arrêta près de lui.

- « Merci, oh merci ! Vous m'avez sauvé la vie ! Je suis la reine des souris des champs et pour vous récompenser, je peux vous accorder un souhait. Qu'est-ce qui vous ferait plaisir ?

- Pourriez-vous sauver notre ami le lion qui s'est endormi dans le champ de coquelicots ?, demanda l'épouvantail.

- Un lion ? Mais, une fois réveillé, il va tous nous dévorer !

- Pas ce lion-là ! C'est un gentil lion. Je vous en prie, demandez à vos sujets de nous aider à le transporter. »

L'épouvantail demanda ensuite à l'homme en fer-blanc de couper quelques arbres avec sa hache afin de fabriquer un chariot qui permettrait de transporter le lion. Les souris arrivaient de toutes les directions. Lorsque Dorothée se réveilla, elle fut bien surprise de voir qu'elle était encerclée par plusieurs milliers de souris qui la regardaient, intimidées. L'épouvantail lui expliqua la situation.

- « Permettez-moi, Dorothée, de vous présenter la reine des souris des champs », fit-il en se tournant vers la noble souris.

L'épouvantail et l'homme en fer-blanc attachèrent toutes les souris au chariot de bois à l'aide de bouts de ficelle que chacune avait apportés. Une fois cette tâche accomplie, ils installèrent le lion dans le chariot. L'homme en fer-blanc et l'épouvantail se placèrent derrière le chariot pour pousser, pendant que les souris tiraient devant. Ils purent enfin sortir le lion du champ de coquelicots et le déposèrent là où il pourrait rapidement respirer de l'air frais.

- « Si vous avez encore besoin de nous un jour, revenez dans ce champ et appelez-nous. Nous vous entendrons et nous viendrons vous aider », dit la reine des souris avant de partir.

Dorothée, l'épouvantail et l'homme en fer-blanc remercièrent les souris. Il ne restait plus maintenant qu'à attendre le réveil du lion, qui ne tarda pas.

- « Le temps est venu de reprendre la route », annonça Dorothée.

Au cours de l'après-midi, ils arrivèrent tout près des grands murs verts qui entouraient la Cité des Émeraudes. Devant eux, il y avait un grand portail serti d'émeraudes qui brillaient avec une telle intensité que même l'épouvantail en était ébloui.

Dorothée actionna le carillon de l'entrée et le grand portail s'ouvrit lentement. Un petit homme, à peine plus grand qu'un Rikiki, vint à leur rencontre.

- « Que venez-vous faire dans la Cité des Émeraudes ?, demanda-t-il.

- Nous venons voir le grand Magicien d'Oz, répondit Dorothée.

- Je suis le gardien des portes de la Cité des Émeraudes et je dois vous dire que le Magicien d'Oz a mauvais caractère. Si vous êtes venus ici pour des raisons futiles, le Magicien pourrait se fâcher ! Pour entrer dans la Cité,

vous devez porter ces lunettes pour ne pas être aveuglés par l'éclat des pierres précieuses. Ces lunettes seront attachées pour que vous ne puissiez pas les enlever et, comme le veut le Magicien, je serai le seul à en posséder la clé. »

Il ouvrit un grand coffre rempli de lunettes de tous les styles et de toutes les grandeurs. Le gardien en prit une paire et les mit à Dorothée. Deux branches dorées les retenaient à sa tête et le gardien les verrouilla avec une petite clé. Il remit des lunettes à tous les autres, les verrouilla et prit ensuite une grosse clé dorée accrochée au mur. C'était la clé qui ouvrait les portes de la Cité des Émeraudes...

LA MERVEILLEUSE CITÉ DES ÉMERAUDES

Dorothée et ses amis étaient éblouis par l'éclat de la Cité des Émeraudes. Les rues et les maisons de marbre vert étaient serties de milliers d'émeraudes. Même les rayons du soleil semblaient être verts ! Le gardien les conduisit à travers les rues jusqu'au palais d'Oz, demeure du fameux Magicien.

- « Voici des étrangers qui aimeraient voir le Magicien d'Oz », dit le gardien au soldat qui surveillait la porte du palais. Le soldat les fit entrer et disparut quelques minutes pour aller parler au grand Magicien. À son retour, Dorothée demanda : « Avez-vous pu le voir ?

- Oh, non ! Je ne l'ai jamais vu de ma vie, répondit le soldat. Mais je lui ai parlé de vos souliers magiques et de la marque laissée par la sorcière sur votre front. Il a décidé de vous laisser entrer. »

La salle du trône avait un très haut plafond en forme de dôme recouvert de milliers d'émeraudes. Sur un immense trône se trouvait une énorme tête. Dorothée la regarda et les yeux de cette tête se posèrent sur elle.

- « Je suis Oz, le grand et terrible Oz. Qui es-tu et pourquoi me cherches-tu ?

- Je suis la petite et humble Dorothée. Je suis venue demander votre aide.

- Où as-tu obtenu ces souliers ? Et d'où vient cette marque sur ton front ?, demanda la voix.

- C'est la sorcière du Nord qui m'a donné ces chaussures, répondit Dorothée. Elle m'a embrassée sur le front pour que je sois protégée et c'est elle qui m'a dit de venir vous voir. Ma maison est tombée sur la méchante sorcière de l'Est, et elle a été tuée...

- Que veux-tu me demander ?, interrompit le Magicien.

- J'aimerais retourner chez moi au Kansas...

- Pourquoi devrais-je t'aider ?, dit le Magicien en l'interrompant de nouveau. Tu n'as pas le droit de me demander de l'aide si tu ne me donnes pas quelque chose en retour. Si tu veux rentrer chez toi, tu devras tuer la méchante sorcière de l'Ouest !

- Mais je ne peux pas !, s'exclama Dorothée.

- Tu as vaincu la sorcière de l'Est et tu portes des chaussures qui ont des pouvoirs magiques. Il ne reste plus maintenant dans ce pays qu'une seule méchante sorcière. Lorsque tu viendras me dire qu'elle est vaincue, je t'accorderai ce que tu désires. »

À LA RECHERCHE DE LA MÉCHANTE SORCIÈRE

Le lendemain matin, le soldat du palais d'Oz les laissa retourner dans les rues de la Cité des Émeraudes.

- « Quel chemin devrions-nous prendre pour retrouver la méchante sorcière de l'Ouest ?, lui demanda Dorothée.

- Il n'y a pas de chemin, répondit le gardien, pour la simple et bonne raison que personne ne veut aller la voir.

- Comment pouvons-nous la trouver, alors ?, reprit la petite fille.

- C'est très simple, dit le gardien. Vous devrez traverser le pays des Rocous, un petit peuple d'habiles artisans qui sont devenus les esclaves de la sorcière. C'est d'ailleurs le sort qui vous attend.

- Peut-être pas !, rétorqua l'épouvantail, nous voulons la neutraliser.

- Alors c'est différent, poursuivit le gardien. Personne n'est jamais parvenu à lui faire perdre ses pouvoirs auparavant, alors j'ai pensé tout naturellement qu'elle allait faire de vous ses esclaves, comme elle l'a fait avec tous les autres. Allez vers l'ouest, là où le soleil se couche, et vous la trouverez. »

Ils marchèrent pendant des heures. Il n'y avait aucun arbre le long de la route pour leur faire un peu d'ombre. Le lion, Dorothée et Toto étaient si fatigués qu'ils durent s'arrêter pour dormir un peu. L'homme en fer-blanc et l'épouvantail montèrent la garde.

La méchante sorcière de l'Ouest gardait aussi l'œil ouvert. Elle était très laide et n'avait qu'un seul œil. Cet œil était cependant aussi puissant qu'un télescope. Lorsqu'elle aperçut Dorothée et ses amis se dirigeant vers son palais, elle piqua toute une colère. Elle prit le sifflet d'argent qu'elle avait au cou et siffla une fois pour appeler une meute de loups féroces.

- « Allez trouver ces gens, leur ordonna-t-elle, et ramenez-les-moi !

- Allez-vous en faire vos esclaves ?, demanda le chef de la meute.

- Non, répondit-elle, car l'un d'entre eux est en fer-blanc, l'autre en paille. Les deux autres sont un lion et une petite fille. Ils seront incapables de travailler pour moi. Débarrassez-vous-en ! »

Heureusement, l'homme en fer-blanc et l'épouvantail entendirent les loups approcher. L'homme en fer-blanc prit sa hache, qui était très bien aiguisée. Alors que les loups s'apprêtaient à attaquer, il les menaça de sa hache et la meute s'enfuit sans demander son reste.

Lorsque la sorcière vit sa meute de loups s'effrayer à la vue de la hache de l'homme en fer-blanc, sa colère grandit encore plus. Cette fois, elle souffla deux fois dans son sifflet d'argent et une volée de corbeaux répondit à son appel.

- « Allez trouver ces intrus, leur dit-elle, et chassez-les de ma vue ! »

L'épouvantail, qui avait l'habitude des oiseaux, était prêt pour le combat. Il ouvrit les bras et les corbeaux terrorisés reculèrent. Leur chef ordonna tout de même d'attaquer.

- « Ce n'est qu'un pauvre imbécile rempli de paille, dit-il. Regardez-moi bien, je vais aller lui faire peur. »

Le chef des corbeaux s'abattit alors sur l'épouvantail, qui le saisit fermement par le cou et le lança derrière son épaule. Il y avait 40 corbeaux en tout et l'épouvantail répéta le même geste 40 fois, jusqu'à ce qu'il ne reste plus un seul oiseau.

Lorsqu'elle comprit que ses corbeaux avaient échoué, la méchante sorcière décida de recourir à son chapeau magique. Avec ce chapeau, elle pouvait appeler les singes volants trois fois. Elle l'avait fait deux fois jusqu'à présent, mais elle ne voyait pas d'autre façon de vaincre Dorothée et ses amis.

La méchante sorcière mit le chapeau sur sa tête et prononça la formule magique. Le ciel devint tout noir et on entendit gronder le tonnerre. Quelques instants plus tard, elle était entourée de singes ailés. Le plus gros d'entre eux voleta autour de la sorcière et lui demanda ce qu'elle voulait.

- « Quel est ton troisième et dernier commandement ?

- Allez retrouver ces étrangers et chassez-les tous, sauf le lion et le chien, ordonna la sorcière. Ils pourront m'être utiles et travailler pour moi. »

Les singes obéirent. Ils s'emparèrent d'abord de l'homme en fer-blanc, qu'ils emmenèrent dans le ciel avant de le laisser tomber sur des rochers. D'autres singes vidèrent l'épouvantail de toute sa paille et accrochèrent ses vêtements aux arbres. Le chef des singes vola vers Dorothée, mais lorsqu'il vit sur son front la marque de la bonne sorcière du Nord, il sut qu'il ne pouvait pas s'attaquer à elle. Les singes emmenèrent donc le lion, Dorothée et Toto au château de la méchante sorcière de l'Ouest.

La marque sur le front de Dorothée donnait bien du souci à la méchante sorcière. Elle savait que la petite fille était protégée contre les forces du mal. Lorsqu'elle aperçut ses souliers magiques, elle en trembla presque de peur. Mais elle réalisa vite que Dorothée ignorait le pouvoir de ses souliers et qu'elle ne savait pas que le baiser de la sorcière du Nord la protégeait contre le mal.

- « Viens avec moi et écoute bien ce que je vais te dire, dit la sorcière à Dorothée, car si tu ne m'obéis pas, il t'arrivera la même chose qu'à tes amis ! »

Elle ordonna à Dorothée de nettoyer la cuisine, de balayer tout son château et d'apporter du bois pour le feu. Il en fut ainsi pendant plusieurs jours. Entre temps, la sorcière essayait d'atteler le lion comme un cheval, mais à chaque tentative, celui-ci se mettait à rugir et se dressait contre elle. La sorcière décida de l'affamer pour le forcer à obéir, mais Dorothée lui apportait secrètement de la nourriture lorsqu'elle terminait ses corvées à la cuisine. Chaque soir, Dorothée et le lion faisaient des plans pour s'échapper...

La sorcière voulait voler les souliers magiques de Dorothée, mais celle-ci ne les enlevait que pour prendre son bain et la sorcière avait peur de s'approcher de l'eau.

Un jour, la méchante créature eut une idée. Elle plaça une barre de fer au centre de la cuisine et la rendit invisible grâce à ses pouvoirs magiques. Dorothée, qui ne pouvait pas voir la barre de fer, tomba et perdit l'un de ses souliers. La sorcière s'empressa de le ramasser et d'y glisser son gros pied osseux.

Dorothée était très fâchée.

- « Rendez-moi ma chaussure !, cria-t-elle.

- Jamais ! répondit la sorcière. Cette chaussure est maintenant à moi et bientôt je te volerai l'autre ! »

Dorothée, très en colère, prit un seau d'eau et le renversa sur la sorcière, qui fut trempée de la tête

aux pieds. À la grande surprise de Dorothée, elle se mit à fondre comme de la neige au soleil.

- « Regarde ce que tu as fait, cria la sorcière. Je suis en train de fondre !

- Je suis désolée !, dit Dorothée, qui était très effrayée de voir que la sorcière rapetissait à vue d'œil.

- Savais-tu que l'eau peut me tuer ?, hurla la méchante sorcière.

- Bien sûr que non, répondit Dorothée. Comment aurais-je pu le savoir ? »

Sur ces mots, la sorcière fut anéantie. Il ne restait plus d'elle qu'une petite flaque d'eau brunâtre sur le sol. Dorothée prit une vadrouille, nettoya le tout, reprit sa chaussure et courut bien vite annoncer au lion que la méchante sorcière de l'Ouest était enfin neutralisée !

LE SAUVETAGE

Dorothée et le lion firent venir auprès d'eux tous les Rocous pour leur annoncer que la sorcière était vaincue et qu'ils étaient enfin libres.

- « Si seulement l'épouvantail et l'homme en fer-blanc pouvaient être avec nous pour célébrer la victoire, soupira le lion. Cela me rendrait bien plus heureux.

- Crois-tu que nous pourrions les sauver ?, demanda Dorothée.

- Nous vous aiderons ! », crièrent les Rocous.

Ils marchèrent tous ensemble pendant une journée et arrivèrent enfin sur les collines rocheuses où gisait l'homme en fer-blanc, cassé et rouillé. Les Rocous — dont certains étaient d'excellents ferblantiers — ramenèrent délicatement l'homme en fer-blanc au château, où ils travaillèrent à le réparer et à le polir pendant de longues heures.

Le pauvre homme en fer-blanc était bien sûr un peu rapiécé, mais il reprit conscience et marcha jusqu'à la chambre de Dorothée pour aller l'embrasser.

- « Si seulement l'épouvantail pouvait être avec nous, dit-il. Cela me rendrait tellement heureux. »

Dorothée lui raconta ce qui s'était produit en son absence et ils décidèrent qu'ils devaient essayer de sauver l'épouvantail.

- « Nous devons le retrouver », dit-elle.

Elle demanda aux Rocous de

les aider à nouveau. Ils marchèrent encore une fois pendant une longue journée, jusqu'à ce qu'ils arrivent devant l'arbre où étaient accrochés les vêtements de l'épouvantail.

L'homme en fer-blanc coupa l'arbre, les vêtements tombèrent des branches et les Rocous les ramenèrent au château. En moins de temps qu'il n'en faut pour le dire, les vêtements étaient bourrés de paille fraîche et l'épouvantail était remis à neuf.

Nos quatre amis passèrent encore quelques jours au château, mais très vite, ils décidèrent de retourner auprès du Magicien d'Oz. Avant de partir, Dorothée prit des provisions dans les armoires de la sorcière et mit le chapeau magique sur sa tête. Elle le trouvait joli mais ignorait ses pouvoirs magiques...

Nos quatre amis entreprirent leur marche vers l'Est. À midi, ils réalisèrent avec découragement qu'ils étaient perdus au beau milieu d'un immense terrain désert. L'un après l'autre, ils perdirent espoir et s'assirent côte à côte, en pleurant. Dorothée, navrée, regarda ses amis et chercha une solution.

- « Et si on appelait les souris des champs ? dit-elle. Elles pourraient sûrement nous montrer le chemin qui nous mènera au pays d'Oz ! »

Ils appelèrent donc les souris. Quelques minutes plus tard, la reine et ses milliers de sujets arrivaient.

- « Pouvez-vous nous aider à trouver le chemin qui mène à la Cité des Émeraudes ?, demanda Dorothée.

- Bien sûr, répondit la reine. Mais vous n'êtes pas du tout dans la bonne direction. Pourquoi ne vous servez-vous pas des pouvoirs du chapeau magique pour appeler les singes volants ? Ils pourraient vous y emmener très rapidement !

- Je ne savais pas que ce chapeau avait des pouvoirs magiques !, s'écria Dorothée.

- La formule magique est inscrite à l'intérieur du chapeau, dit la reine des souris. Les singes volants obéissent toujours à la personne qui porte le chapeau. »

Dorothée appela les singes volants et ils apparurent au bout de quelques secondes. Leur chef fit une grande révérence à Dorothée et lui demanda quel était son désir.

- « Nous voulons aller à la Cité des Émeraudes », répondit la petite fille.

Sur un simple geste du chef, les singes transportèrent les quatre amis jusqu'aux portes de la cité merveilleuse.

LA DÉCOUVERTE D'OZ LE TERRIBLE

Nos voyageurs marchèrent jusqu'au portail de la Cité des Émeraudes et firent tinter le carillon comme la première fois. Après avoir écouté le récit de leurs aventures, le gardien les conduisit aux portes du palais, en racontant à qui voulait l'entendre que ces quatre étrangers venaient de vaincre la méchante sorcière de l'Ouest. Le soldat se rendit annoncer la nouvelle au Magicien d'Oz, mais celui-ci mit plusieurs jours avant de répondre à nos amis.

Le Magicien consentit enfin une audience à Dorothée et à ses amis. Lorsqu'ils arrivèrent dans la salle du trône, il n'y avait personne. Une voix qui semblait sortir des murs se fit entendre.

- « Je suis Oz, le grand et terrible Oz. Pourquoi me cherches-tu ?

- Je suis venue vous dire que j'ai rempli ma promesse, répondit Dorothée.

- Est-ce que la méchante sorcière de l'Ouest a été détruite ?, » demanda la voix.

Dorothée se mit à trembler.

- « Oui, répondit-elle. Je l'ai fait fondre avec de l'eau.

- Ma foi, vous avez accompli votre mission en peu de temps ! Eh bien, revenez demain. Je dois réfléchir, à présent. »

Le lion n'avait pas envie d'attendre sa récompense jusqu'au lendemain et jugea que le moment était venu de faire peur à ce magicien. Il rugit aussi fort que possible. Le chien Toto eut tellement peur qu'il recula en gémissant et heurta un paravent qui se trouvait dans un coin de la pièce. Le paravent tomba. Un petit homme chauve était caché derrière... L'homme en fer-blanc leva sa hache.

- « Qui êtes-vous ?, demanda-t-il.

- Je suis Oz, le grand et terrible Oz, dit le vieil homme d'une voix tremblante. Je vous en prie, ne me faites pas de mal ! Je faisais cela pour m'amuser, c'est tout ! »

Nos amis le regardèrent avec étonnement.

- « Pour vous amuser ?, cria Dorothée. Êtes-vous, oui ou non, le grand Magicien d'Oz ?

- Pauvre petite, répondit le vieillard. Ne parle pas si fort, on risque de t'entendre, et je serai perdu. Tout le monde me prend pour un très grand magicien.

- Et vous ne l'êtes pas ?, demanda-t-elle.

- Non, justement. Je suis un homme comme les autres.

- Mais vous êtes bien plus que cela !, s'indigna l'épouvantail. Vous êtes le roi des menteurs !

- C'est vrai ! déclara le petit

homme en ricanant. Je suis le grand roi des menteurs !

- Mais c'est épouvantable !, s'écria l'homme en fer-blanc. Comment vais-je faire pour retrouver mon cœur ?

- Et moi, mon courage ?, demanda le lion.

- Mes chers amis, répliqua Oz, pensez à moi, et à tous les ennuis que je risque d'avoir si quelqu'un apprend la vérité. Personne, sauf vous, n'est au courant ! J'ai commis une grande erreur en vous permettant d'entrer dans la salle du trône. Habituellement, je ne rencontre jamais mes sujets. Ainsi, ils croient tous que je suis quelqu'un de tout-puissant. Asseyez-vous, je vous prie, et laissez-moi vous raconter mon his-toire. Je suis né à Omaha, aux États-Unis...

- Mais ce n'est pas loin de chez moi, au Kansas !, s'exclama Dorothée.

- Non, mais c'est quand même très loin d'ici. Un jour, je suis parti faire un tour en montgolfière. Les cordages de mon ballon se sont emmêlés à un point tel que je ne pouvais plus atterrir. J'ai dérivé pendant un jour et une nuit et, lorsque je me suis réveillé le matin du deuxième jour, je flottais au-dessus de ce merveilleux et étrange pays. C'est parce que je suis tombé du ciel que les gens croient que je suis un grand magicien.

« Pour m'amuser un peu et pour garder tous ces gens

occupés, je leur ai demandé de construire cette ville. J'ai ensuite décidé de la nommer la Cité des Émeraudes et j'ai ordonné à tout le monde de porter des lunettes vertes.

- Mais les choses ne sont-elles pas toutes vertes ici ?, demanda Dorothée.

- Pas plus que n'importe où ailleurs, répondit le faux magicien. Mais lorsque vous regardez la ville à travers des lunettes vertes, tout semble merveilleux. J'ai eu peur lorsque j'ai appris qu'il y avait dans ce pays des sorcières qui possédaient des pouvoirs magiques, alors j'ai prétendu moi aussi que j'avais des pouvoirs merveilleux. De cette façon, j'ai cru qu'on ne me ferait pas de mal. J'ai été bon avec les gens et ils m'aiment bien en retour. Or, depuis que ce palais a été construit, je m'y suis enfermé et je refuse de voir qui que ce soit. Vous vous imaginez bien que j'étais heureux lorsque j'ai appris que votre maison était tombée sur le sorcière de l'Est. J'étais prêt à vous promettre n'importe quoi si vous parveniez à me débarrasser de la méchante sorcière de l'Ouest. Maintenant que vous l'avez fait, je suis désolé de vous apprendre que je ne possède pas les pouvoirs qui me permettraient d'honorer ma promesse.

- Je crois que vous êtes un méchant homme, conclut Dorothée.

- Ce n'est pas vrai. Je suis un homme bon. Je ne suis pas un très bon sorcier, voilà tout.

- Pouvez-vous me donner un cerveau ?, demanda l'épouvantail.

- Vous n'en avez pas besoin, répondit Oz. Vous apprenez des choses tous les jours. Plus vous vivrez longtemps, plus vous aurez de nouvelles expériences.

- C'est peut-être vrai, répliqua l'épouvantail, mais si vous ne me donnez pas un cerveau, je serai très malheureux.

- Eh bien, soupira Oz, si vous revenez demain matin, je vous mettrai un cerveau dans la tête, mais ne me demandez surtout pas comment l'utiliser. Vous devrez le découvrir vous-même.

- Oh !, merci, merci ! dit l'épouvantail. Ne vous inquiétez pas, je trouverai bien une façon de l'utiliser !

- Et moi, me donnerez-vous du courage ?, demanda le lion.

- Vous en avez déjà, répondit Oz. Vous savez faire face au danger et c'est cela, avoir du courage.

- Mais j'ai toujours peur !, dit le lion. Si vous ne me donnez pas de courage, je serai très malheureux.

- Très bien, dit Oz. Je vous donnerai votre courage demain matin.

- Et moi, dit l'homme en fer-blanc. Qu'arrivera-t-il avec mon cœur ?

- C'est la même chose, répondit Oz. Avoir un cœur rend la plupart des gens malheureux. Dites-vous bien que vous avez de la chance de ne pas en avoir.

- Je suis prêt à faire face à tous les chagrins de la terre, répondit l'homme en fer-blanc.

- Bien, répondit faiblement Oz. Venez me voir demain matin et vous aurez votre cœur.

- Et moi, poursuivit Dorothée. Comment vais-je faire pour rentrer à la maison ?

- Donnez-moi une journée ou deux et je vais trouver une solution. Je ne vous demande qu'une seule chose en échange de mon aide. Vous devrez garder mon secret et ne dire à personne que je suis un imposteur. »

LA MAGIE DU ROI DES MENTEURS

Le lendemain, l'épouvantail se réveilla de bien bonne humeur. « Je m'en vais au palais d'Oz pour chercher mon cerveau et je serai enfin un homme comme les autres », se dit-il.

Il se présenta dans la salle du trône et Oz entreprit de détacher sa tête.

- « Excusez-moi, mais je dois placer votre cerveau au bon endroit », dit-il.

Il retira ensuite un peu de paille de la tête de l'épouvantail, y mélangea quelques aiguilles et une poignée d'épingles et remit le tout en place.

- « Voilà, cher ami. Vous avez maintenant un tout nouveau cerveau. »

L'épouvantail était très heureux. Il vint retrouver ses amis en leur disant que, déjà, il se sentait plus intelligent. Puis ce fut le tour de l'homme en fer-blanc.

- « Je viens chercher mon cœur, dit l'homme en fer-blanc.

- Si vous permettez, dit Oz, je vais devoir faire un trou dans votre poitrine pour pouvoir placer le cœur au bon endroit. »

Oz s'arma de ciseaux et découpa un petit carré sur la poitrine de l'homme en fer-blanc. Oz lui montra ensuite le cœur recouvert de soie qu'il avait fabriqué avec de la sciure de bois.

- « N'est-ce pas merveilleux ?, demanda Oz.

- Bien sûr, répondit l'homme en fer-blanc. Est-ce un cœur gentil, au moins ?

- Évidemment, cher ami ! », répondit Oz.

Le vieil homme inséra ensuite le cœur dans la poitrine de l'homme en fer-blanc, puis remit le carré de fer-blanc et referma le tout en soudant. L'homme en fer-blanc retourna fièrement auprès de ses amis avec son beau cœur tout neuf.

Le lion se rendit ensuite dans la salle du trône.

- « Je viens chercher mon courage », dit-il.

Le petit vieillard ouvrit une armoire et prit tout en haut une bouteille verte dont il versa le contenu dans une soucoupe dorée. Il plaça ensuite la soucoupe sous le nez du lion.

- « Buvez ceci, ordonna-t-il.

- Qu'est-ce que c'est ?, demanda le lion.

- Eh bien, reprit Oz, lorsque vous aurez bu cette potion, vous serez transformé en lion courageux. »

Le lion avala tout le contenu de la soucoupe et rejoignit ses amis, se sentant déjà très courageux.

Le magicien sourit en pensant à la comédie qu'il venait de jouer. Mais il se demandait bien comment il arriverait à remplir la promesse faite à Dorothée.

La petite fille dut attendre trois jours avant que le magicien accepte de s'occuper d'elle. Un matin, il se dit prêt à la voir et elle se rendit à la salle du trône.

- « Asseyez-vous, ma chère. Je crois avoir trouvé la façon de vous

aider à retourner chez vous. Nous sommes tous deux venus ici par la voie des airs, dit Oz. Alors je crois que nous devrions nous en aller de la même façon. J'ai ici assez de soie pour fabriquer un ballon que nous pourrions remplir d'air chaud pour nous envoler. »

Lorsque le ballon fut prêt, l'homme en fer-blanc coupa du bois avec sa hache pour faire du feu et Oz plaça le ballon au-dessus du brasier assez long-temps pour qu'il se gonfle d'air chaud. Le ballon tirait sur les cordes qui le retenaient au sol.

- « Montez, Dorothée !, cria le magicien. Le ballon s'envolera dans quelques instants ! »

Sans se soucier de ces pré-paratifs, Toto partit à la poursuite d'un chat. Dorothée se dépêcha de le rattraper, mais au moment de bondir dans le ballon, celui-ci s'était déjà détaché du sol et mon-tait vers les nuages.

- « Attendez-moi !, cria-t-elle. Moi aussi, je veux m'en aller ! »

- Je ne peux pas redescendre, Dorothée, cria Oz. Adieu ! »

- Adieu », crièrent-ils tous. Ils ne revirent plus jamais Oz, le magicien merveilleux qui avait construit la Cité des Émeraudes.

DÉPART POUR LE SUD

En voyant le ballon s'envoler vers le ciel, Dorothée se mit à pleurer.

Elle savait qu'elle venait de perdre sa seule chance de retourner à la maison. Ses amis étaient bien malheureux de la voir aussi triste. Tous ensemble, ils se mirent à chercher un moyen de l'aider. L'épouvantail eut une idée.

- « Et si on appelait à nouveau les singes volants ? Ils pourraient peut-être te ramener chez toi ! »

Dorothée mit le chapeau ma-gique et récita la formule qui allait faire apparaître les singes volants. En quelques minutes, nos amis furent entourés des battements d'ailes des singes volants. Dorothée fit son deuxième souhait.

- « Je veux que vous m'emme-niez à la maison.

- C'est impossible, dit leur chef. Nous appartenons à ce pays et nous ne pouvons pas en sortir. Il nous fera plaisir de vous servir ici, mais nous ne pouvons pas tra-verser le désert. »

Il fit une grande révérence et s'envola avec les autres singes. Dorothée allait à nouveau se met-tre à pleurer. L'épouvantail eut une autre idée.

- « Pourquoi ne pas demander l'aide de Glinda, la sorcière du Sud ? Elle pourrait nous aider ! »

La route qui menait au château de Glinda était remplie d'obstacles. Il y avait beaucoup d'animaux sauvages et il y avait aussi la tribu des hommes sans bras, qui n'aimaient pas beaucoup les étrangers.

- « Je dois y aller avec elle, déclara le lion. J'ai hâte de retourner dans les bois et Dorothée aura besoin de moi pour la protéger.

- Je l'accompagne aussi, s'écria l'épouvantail. Si je n'avais pas rencontré Dorothée, je n'aurais jamais eu de cerveau. Quand partons-nous ?

- Je vous suis, dit l'homme de fer-blanc. Sans elle, je n'aurais pas de cœur. »

Le lendemain matin, nos amis se mirent en route pour le château de Glinda, la bonne sorcière du Sud. Ils traversèrent des prairies remplies de fleurs et des champs verdoyants, puis arrivèrent face à une grande forêt où ils rencontrèrent une foule d'animaux sauvages. Il y avait des tigres et des éléphants, des ours, des loups et des renards. Dorothée avait très peur. Le lion lui expliqua que les animaux tenaient une réunion spéciale et que leurs grognements et leurs cris semblaient indiquer qu'ils étaient très préoccupés.

- « Qu'est-ce qui se passe ?, leur demanda poliment le lion.

- Nous avons tous peur du monstre, dit l'un d'eux. C'est une araignée géante avec un corps aussi gros qu'un éléphant et des pattes aussi grosses que des troncs d'arbres. Nous ne serons pas en sécurité tant et aussi longtemps que cette créature rôdera dans les parages. »

Le lion réfléchit quelques instants.

- « Si je vous débarrasse de ce monstre, je deviendrai votre roi. Obéirez-vous à mon commandement ? »

Les animaux répondirent avec enthousiasme.

- « Nous t'obéirons ! »

Le lion, qui n'avait plus peur de rien, pourchassa l'araignée géante et la jeta hors des frontières du pays. Il promit ensuite à ses nouveaux sujets qu'il reviendrait une fois qu'il aurait ramené Dorothée chez elle.

De l'autre côté de la forêt, ils arrivèrent devant une colline escarpée, couverte de rochers pointus. Un gros homme sans bras, avec une tête plate et un cou épais, leur barrait la route.

- « Reculez, dit l'étrange bonhomme. Cette colline est à nous et vous ne pouvez pas passer.

- Je regrette de vous offenser, mais nous devons franchir cette colline », dit l'épouvantail en le défiant.

À ces mots, l'homme sans bras frappa l'épouvantail avec sa tête, et notre ami se retrouva au pied de la colline, assommé. Dorothée vit des centaines d'hommes sans bras s'approcher, prêts à leur barrer la route.

Pour rentrer chez elle, Dorothée devait absolument franchir cette colline.

- « Appelons les singes volants », suggéra l'épouvantail tout étourdi.

Dorothée posa le chapeau magique sur sa tête et récita la formule. Le chef des singes se présenta instantanément devant elle.

- « Emmenez-nous au château de la sorcière Glinda », commanda Dorothée.

Les singes volants transportèrent aussitôt nos amis vers le château de la sorcière. Les gens qui habitaient son pays, les Trusquins, semblaient heureux et prospères. Ils étaient petits, grassouillets et tous habillés de rouge. Aux portes du château, trois jeunes filles en uniforme les accueillirent.

- « Qu'est-ce qui vous amène au pays des Trusquins ?, demanda l'une d'elles.

- Nous venons voir Glinda », répondit Dorothée.

LES SOUHAITS DE DOROTHÉE SONT EXAUCÉS

Les jeunes filles conduisirent Dorothée et ses amis à l'intérieur du palais. Glinda était assise sur un trône serti de rubis. Elle était belle et jeune. Ses cheveux blonds tombaient en cascades bouclées sur ses épaules. Elle portait une longue robe blanche et elle semblait très gentille.

- « Que puis-je faire pour toi, mon enfant ?, demanda la sorcière à Dorothée.

- Je voudrais rentrer à la maison. Tante Émilie doit se faire bien du souci pour moi, à présent. »

Glinda se pencha vers Dorothée, l'embrassa et lui promit de l'envoyer chez elle à condition qu'elle lui donne le chapeau magique. Dorothée lui tendit le chapeau et Glinda se tourna vers ses amis.

- « Que ferez-vous lorsque votre amie sera partie ? », dit-elle.

L'épouvantail voulait retourner dans la Cité des Émeraudes. L'homme en fer-blanc souhaitait retourner chez les Rocous, dans l'Ouest, et le lion voulait aller retrouver les animaux qui l'avaient trouvé courageux. La bonne sorcière promit d'utiliser ses trois souhaits auprès des singes volants pour ramener chacun où il le désirait. Une fois ses trois souhaits utilisés, Glinda remettrait le chapeau magique aux singes volants, ce qui leur rendrait la liberté.

- « Vous êtes aussi bonne que jolie, lui dit Dorothée. Mais vous ne m'avez toujours pas dit com-

ment je pourrai rentrer à la maison.

- Tes souliers magiques pourront te faire traverser le désert, répondit Glinda. Si tu avais su quel était leur pouvoir, tu aurais pu retourner chez toi dès le premier jour. Ces souliers peuvent te transporter n'importe où au monde en trois petits pas. Il suffit que tu frappes tes talons trois fois et que tu leur ordonnes de te conduire où tu veux. »

Dorothée fit ses adieux à ses amis. Elle prit ensuite son chien dans ses bras et frappa trois fois les talons des souliers magiques.

- « Emmenez-moi chez tante Émilie, au Kansas ! », cria-t-elle, et elle fit trois petits pas.

En posant le pied au sol pour la dernière fois, elle fut instantanément projetée dans les airs et se retrouva au cœur des plaines du Kansas, en chaussettes (les chaussures étaient tombées de ses pieds dans le désert).

- « Enfin ! », s'exclama-t-elle. Elle se retrouva en face de la nouvelle maison construite par son oncle après le cyclone. Oncle Henri était en train de traire les vaches. Toto bondit des bras de Dorothée et courut vers lui en aboyant joyeusement. Tante Émilie sortit de la maison en courant et prit Dorothée dans ses bras.

- « Mon enfant chérie !, s'écria-t-elle en pleurant et en la couvrant de baisers. Pour l'amour du ciel, d'où viens-tu ?

- Du pays d'Oz, ma tante, répondit Dorothée. Toto est re-venu, lui aussi. Oh ! ma tante, je suis si heureuse d'être enfin de retour à la maison ! »